PESSOAS

PESSOAS

1. O que todo mundo tem, mas ninguém pode perder?
2. **Quando é que uma pessoa fica a ver navios?**
3. Um homem subiu numa pedra e caiu lá de cima. Qual o nome dele?
4. Quando todos se tornam pacientes?
5. Qual a pessoa que vale por duas?
6. Qual a mulher que, invertida, voa?
7. Qual o ator que sempre está on-line?

RESPOSTAS: 1. A sombra. 2. Quando está no cais do porto. 3. Caio Rolando da Rocha. 4. Quando estão sob cuidados médicos. 5. A grávida. 6. A que se chama Eva, que vira ave. 7. Sylvester StaONLINE.

PESSOAS

8. Qual o cúmulo da discussão na barbearia?

9. Qual o nome do dono da floricultura?

10. Qual o ator que sempre conversa no WhatsApp?

11. Qual o nome do pai da atriz Malu Mader?

12. **Quem é o tio da construção?**

13. Quem nunca dirige sem carta?

14. Por que os vingadores não gostam de comida quente?

15. Por que o ciumento foi à consulta médica?

RESPOSTAS: 8. Dois carecas brigarem por um pente. 9. Lírio da Rosa. 10. O Fábio Por-chat. 11. Malu Fader. 12. Tio Jolo. 13. O motorista dos Correios. 14. Porque a vingança é um prato que se come frio. 15. Porque estava sentindo dor de cotovelo.

PESSOAS

16. Qual o tipo de internet que o mineiro usa?

17. Qual o prato preferido dos soldados em guerra?

18. Qual o mar que é flor e tem nome de mulher?

19. Quando uma pessoa chata não molha os pés?

20. Por que as mulheres nunca sentem frio?

21. Por que os loucos nunca estão em casa?

22. Qual a cor que todo rei usa?

23. Qual é o mar adulto?

RESPOSTAS: 16. Uai-Fi. 17. Feijão tropeiro. 18. Margarida. 19. Quando é uma chata de galocha. 20. Porque estão sempre cobertas de razão. 21. Porque vivem fora de si. 22. A coroa. 23. Marmanjo.

PESSOAS

24. Por que Joãozinho não fez a lição de casa?

25. Como se pode comer um ovo sem quebrar a casca?

26. Por que três homens caíram no mar, mas somente dois deles ficaram com os cabelos molhados?

27. Por que o menino estava em desespero procurando pelo relógio?

28. Quem viaja debaixo d'água sem se molhar?

29. Qual o homem que tem várias cabeças?

30. Qual atriz é capaz de dominar animais selvagens?

RESPOSTAS: 24. Porque ele mora em apartamento. 25. Pedindo para outra pessoa quebrar. 26. Porque o terceiro era careca. 27. Porque não queria perder tempo. 28. Tripulante de submarino. 29. O criador de gados. 30. Grazi "Amansafera".

PESSOAS

31. Por que uma pessoa inquieta vai ao hospital?

32. Qual é o cantor que não é meu?

33. Por que o menino colocou o despertador embaixo da cama?

34. Quem tem cem modos de desagradar os outros?

35. O que o homem faz para chegar à outra margem do rio sem barco?

36. O que uma pessoa sabe que nunca vai encontrar?

37. Qual o atleta que escreve em negrito?

RESPOSTAS: 31. Para aprender a ser mais paciente. 32. O Seu Jorge. 33. Para acordar em cima da hora. 34. O sem modos. 35. Nada. 36. Aquilo que ela nunca perdeu. 37. O Usain "Bold".

PESSOAS

38. É possível duas pessoas estarem separadas por menos de dez centímetros sem poderem se tocar?

39. Como se chama a mulher apaixonada por felinos?

40. Quem nasce no rio, vive no rio e morre no rio, mas não se molha?

41. Qual cantor gosta de ler?

42. Por que a bailarina usa Corel em vez de Photoshop?

43. Qual é o pão mais famoso?

RESPOSTAS: 38. Claro! Basta que cada uma esteja de um lado da porta. 39. Mulher-gato. 40. O carioca (Rio, nesse caso, é Rio de Janeiro). 41. É o John Lennon. 42. Porque gosta de coreografia. 43. "Bread" Pitt.

PESSOAS

44. Por que o preguiçoso prefere o lado esquerdo?

45. Qual super-herói está no final das orações?

46. Qual o cantor que é a favor de uma letra do alfabeto?

47. Quantos grandes homens já nasceram em pequenas cidades?

48. A irmã do seu tio não é sua tia, quem é ela?

49. Quais as bebidas preferidas de quem tem animais de estimação?

RESPOSTAS: 44. Porque ele não faz nada direito. 45. O "Aqua-Amém". 46. O Pro-Jota. 47. Nenhum. Todos nascem bebês. 48. A sua mãe. 49. As que vêm em garrafas PET.

PESSOAS

50. Qual o rapper que estaciona os carros?

51. Qual cantora não gosta muito de viver na cidade?

52. Qual é a caminhonete que só vem com ator?

53. Quando um mentiroso abre a boca e não mente?

54. Qual a lei que os preguiçosos obedecem cegamente?

55. Qual a árvore envolve a família toda?

RESPOSTAS: 50. O Mano Brista. 51. Vanessa da Mata. 52. Vem Diesel. 53. Quando boceja. 54. A lei do menor esforço. 55. A árvore genealógica.

PESSOAS

56. Os filhos são estudados por qual disciplina acadêmica?

57. O que aconteceu com a menina esquimó que brigou com o namorado?

58. Quem passa todas as pessoas para trás e não é punida por isso?

59. Qual o nome do youtuber que sabe tudo de computador?

60. Por que o Batman colocou o Batmóvel no seguro?

61. Qual o nome do guerreiro que trabalha socorrendo pessoas na ambulância?

62. Qual a melhor impressão que todas as pessoas levam da polícia?

RESPOSTAS: 56. A "filhosofia". 57. Ela ficou com o coração gelado. 58. A história. 59. "Windows" Nunes. 60. Porque ele tem medo que "Robin". 61. SAMU-rai. 62. A impressão digital (na carteira de identidade).

PESSOAS

63. Não é minha irmã, não é meu irmão, mas é filho do meu pai. Quem é?

64. O pai do prefeito é filho do meu pai. O que sou do prefeito?

65. Um cara está montando um presépio de Natal. Qual o nome dele?

66. O que o homem perguntou quando encontrou o Batman no elevador?

67. **Quando é que um homem pode dizer que está endividado até a cabeça?**

68. O que fazer para ajudar alguém que sofre de problema no coração?

RESPOSTAS: 63. Eu mesmo. 64. Tio. 65. Armando Nascimento de Jesus. 66. Se ele ia DC. 67. Quando está devendo a peruca que comprou. 68. Apagar a luz, pois o que os olhos não veem o coração não sente.

PESSOAS

69. O que um homem completamente careca faz quando vai ao barbeiro?

70. O que todas as pessoas do mundo estão fazendo agora?

71. Qual o nome da cantora preferida de quem é viciado em chá?

72. Por que os falidos merecem mais pena do que os doidos?

73. Por que os membros da família real não ficam vermelhos?

74. O que é seu, mas os outros é que usam?

75. Por que o garoto enfermo foi para a academia treinar?

RESPOSTAS: 69. A barba. 70. Vivendo. 71. Chá-kira. 72. Porque os falidos estão quebrados e, aos doidos, falta apenas um parafuso. 73. Porque têm sangue azul. 74. O seu nome. 75. Para ficar sarado.

PESSOAS

76. Quem é que, de manhã anda com quatro pernas, ao meio-dia com duas e à noite com três?

77. Quando a gente toma banho e não se molha?

78. Por que uma pessoa baixinha não gosta de ir ao hospital?

79. Quando uma pessoa não se reflete no espelho?

80. Por que os sites de emprego não informam nada?

81. O que o mineiro gosta de comer?

RESPOSTAS: 76. O homem (criança, adulto e idoso) 77. Quando toma banho de sol. 78. Porque ela só vai sair quando ela tiver alta. 79. Quando está no escuro. 80. Porque lá as informações são vagas. 81. Uai-pim.

PESSOAS

82. Em qual parte do corpo não existe ar?

83. Qual a primeira coisa que um político faz num discurso?

84. O que só se dá a quem tem?

85. De que é capaz um preguiçoso para não trabalhar?

86. Quem vive levando na cabeça?

87. Por que a criança chora ao nascer?

88. Qual o pronome mais egoísta?

RESPOSTAS: 82. No so-vácuo. 83. Abre a boca. 84. Razão. 85. De fazer qualquer coisa. 86. Quem tem mania de jogar tudo para o alto. 87. Porque quem não chora não mama. 88. Eu.

PESSOAS

89. Quando a pessoa pode cair sem perigo algum de se machucar?

90. O que todos dizem para o outro, mas ninguém pode dizer sobre o outro?

91. O que o menino responde ao professor, mas gostaria de ganhar do pai?

92. Qual é a queda que acontece só porque as pessoas se deram as mãos?

93. Em que lugar qualquer pessoa pode se sentar, menos você?

94. Qual pessoa pode se transformar em várias, sem deixar de ser ela mesma?

RESPOSTAS: 89. Quando cai em si. 90. Eu. 91. Presente. 92. A queda de braço. 93. No seu próprio colo. 94. Um ator ou uma atriz.

PESSOAS

95. Por que a garota sempre deixa os óculos na escada?

96. Qual o maior drama do mentiroso em uma ilha abandonada?

97. Qual a primeira coisa que fazemos quando acordamos?

98. Em que Leonardo da Vinci se inspirou para pintar a "Monalisa"?

99. Qual é a liquidação preferida pelos carecas?

100. Qual o sobrenome que todos nós temos?

RESPOSTAS: 95. Porque eles são "de-grau". 96. Não ter para quem mentir. 97. Abrimos os olhos. 98. Numa mulher. 99. A de perucas. 100. Costa.